D1287540

*À tous ceux qui ont été punis
alors que c'était même pas de leur faute.*

© ALEXANDRE JARDIN ET HACHETTE LIVRE, 2005.

Alexandre Jardin
illustré par Bruno Salamone

Trop dingue de la maîtresse !

HACHETTE
Jeunesse

Comment les Méganazes avaient-ils pu se faire renvoyer définitivement de l'écOLe ? Quelle catastrophe avait séparé tout à coup les deux orphelins de leurs amis ? Qui pouvait bien être le scélérat (*scélérat*, ça veut dire salaud en pire) qui avait manigancé ce drame dont l'issue était, hélas ! abominable ? Sur la recommandation perFide d'Oscar – le fils de leur sinistre famille d'accueil –, les Glachon avaient inscrit Léo et Ludo à Saint-Zizou, l'école rivale du quartier. C'était là qu'on trouvait leurs plus coriaces adveRsAires : les gars de Saint-Zizou, des brutes dingues de foot qui n'hésitaient pas à leur coller des triples marrons à la sortie ! Aux yeux inquiets des Méganazes, Saint-Zizou

Scélérat

7

c'était un lieu aussi malsain qu'un bain d'huile bouillante pour un homard ou qu'un roman casse-pieds pour M. Désir, le bibliothécaire futé.

Tout avait commencé par le congé de Mme Garce, leur maîtresse sévère. Cette enseignante injuste avait été remplacée par une iNstiTutrice canon si compréhensive que tout le monde avait surnommé la remplaçante Mlle Juste ; par comparaison... Mme Garce était PaRtie avec un très gros ventre, vu qu'elle était très enceinte. Mlle Juste, elle, était arrivée avec des gros seins, vu qu'elle était hyper super méga top sexy ; même si elle avait de grands yeux verts très purs.

Il faut dire que Mlle Juste était tellement belle que tous les garçons devenaient rouge écrevisse à dix mètres d'elle lorsqu'elle traversait la cour de récré. Et que toutes les filles – même la très mignonne Lola – s'étaient mises à porter des lunettes de soleil de couleur, comme elle. Même quand il pleuvait. Lui ressembler, c'était la méga classe !

Et puis, le drAme était survenu. Quelqu'un – mais qui ? – avait volé le sac à main de Mlle Juste dans la classe fermée à clef. Avant de s'enfuir par la fenêtre ouverte, le voleur avait écrit à la cRaie sur le tableau noir, sans faire de faute :

La directrice, Mme Brutus – aussi intelligente que son idiot de fils, le sympathique Brutus – en avait aussitôt conclu que c'était un cOup des Méganazes, ces fils de personne qui faisaient honte par leur mocheTé aux Glachon : leur *honorable et généreuse famille d'accueil* comme elle disait. Ce qui prouve que Mme Brutus n'avait pas un esprit de déduction très développé (*l'esprit de déduction*, c'est la capacité d'imaginer des trucs à partir d'indices subtils, par exemple de deviner que Mlle Juste était une sacrée coquine rien qu'en regardant sa minijupe).

A-t-on jamais vu un voleur assez couillon pour signer son forfait ? En dehors d'Arsène Lupin, un louSTic qui adorait se payer la tête de ses victimes… Mme Brutus était pourtant certaine de l'infaillibilité de son raisonnement.

Dans son esprit, Léo Gérafon, connu pour ses gaffes, bourdes et autres catastrophes en série, était forcément l'imbécile qui avait commis la bêtise d'écrire au tableau : *Saperlipopette, c'est pas nous les voleurs, signé LES MÉGANAZES.* Il faut dire que, comme il ne lisait jamais, Léo n'avait pas beaucoup d'imagination, même pas du tout. Alors, nécessairement, il collectionNait les actes irréfléchis, étourdis quoi. Et comme le vol avait été réussi, Mme Brutus ne voyait pas comment Léo Gérafon, roi de la maladresse, aurait pu s'en tirer sans l'aide de Ludo. D'où l'expulsion des deux jumeaux. *Si ce n'est toi, c'est donc ton frère !* avait-elle lancé en citant, comme toujours, une fable de La Fontaine énervante.

Mais Ludo, lui, était sûr que son frère n'y était pour rien, justement parce qu'il ne bouquinait pas. Comme tous les non-lecteurs, Léo faisait plein de fauTes d'orthographe. Il n'aurait donc jamais pu écrire au tableau une phrase de dix mots sans faire de *fôtes* ! Cet indice avait échappé à l'arrogante Mme Brutus… Mais pas à la raVisSante Coralie qui se doutait bien que Ludo était trop malin pour être le véritable voleur. Jamais il n'aurait écrit une telle sottise au tableau noir !

Choquée par l'expulsion des frères Gérafon, Coralie s'était soudain découvert une vraie tendresse pour la victime qu'était devenu Ludo. Son élan de compassion lui faisait même oUBliEr le terrible nez et les oreilles molles du Méganaze. Les injustices, Coralie ne supportait pas ; d'autant plus que Mme Brutus n'avait même pas laissé aux Méganazes le temps de rendre visite à M. Désir qui, comme à son habitude, leur aurait conseillé un bouquin pour se tirer de ce mauvais pas. Du coup, elle trouvait le Gérafon presquE beau dans sa tristesse…

Le cœur troublé, Coralie alla disCRètement interroger M. Désir qui, depuis plusieurs jours, se livrait à des expériences bizarres dans sa bibliothèque. Il observait au microscope des moulages de traces de baskets, s'obligeait à oublier une partie de son immense saVoir (ce qui est super dur !) et expédiait de toutes ses forces des ballons de cuir dans ses propres vitres afin d'étudier ensuite la forme des bris de verre. Bref, que des activités suspectes...

Lorsque Coralie entra dans la bibliothèque, M. Désir plissa les yeux pour mieux l'observer, tira une bouffée sur une vieille pipe et lui lança avec assurance :

– Alors, Coralie, tu es aMOᵘrEᵘse d'un garçon victime d'une injustice, à ce que je vois !

– **M**ais m**a**i**s** m**a**i**s**… bégaya-t-elle avec stupeur. Comment le savez-vous ?

– Dis-moi plutôt en quoi ma **s**ag**a**cité peut t'être utile ?

– *Sagacité ?* répéta Coralie qui ne voyait pas ce que signifiait ce mot.

– *Sagacité* désigne l'aptitude de l'esprit à faire découvrir et comprendre les choses les plus diffi-ciles et les plus cachées. **B**ru**t**u**s**, par exemple, n'est pas sagace…

Coralie rapporta alors en dÉtail la méga catastrophe qui désespérait les Méganazes. Quel roman devaient-ils bouquiner pour découvrir le vériTable coupable du cambriolage ? Quel super-héros de la littérature, doté de superpouvoirs efficaces, pouvait bien les inspirer ?

– Élémentaire, ma chère Coralie ! s'exclama M. Désir en lui tendant un exemplaire d'*Étude en rouge*, la première aventure du célèbre déteCtive Sherlock Holmes. Et maintenant laisse-moi, je dois perfectionner mes ignorances autant que ma science !

– Vos ignorances ?

– Oui, mon cerveau est comme un grEnier qui n'est pas extensible à l'infini. J'évacue donc mes connaissances superflues pour laisser de la place à celles dont j'ai besoin pour mes travaux !

Sur ces mots, M. Désir shoota dans un ballon et brisa une nOUveLLe vitre de sa bibliothèque avec satisfaction.

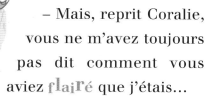

– Mais, reprit Coralie, vous ne m'avez toujours pas dit comment vous aviez flairé que j'étais…

– … amoureuse ?

– Oui, alors que je ne le sais pas moi-même. On vous l'a appris ?

– Non, *je le savais*, répondit M. Désir avec aPlOmb. Mon raisonnement s'explique ainsi : tu as l'aspect d'une fille et un air troublé, donc tu es une fille troublée ; tes pommettes sont un peu rouges, or ce n'est

pas la couleur naturelle de ta peau puisque tes avant-bras sont clairs ; donc ton émotion vient du cœur, d'un cœur de fille émue par un événement récent. Quel iNcideNt vient d'avoir lieu au sein de l'école ?

L'expulsion nécessairement injustifiée des Gérafon. Pourquoi injustifiée ? Parce qu'ils ont toujours été vICTimes d'injustices depuis leur naissance. D'où ma remarque qui t'a étonnée…

Et il ajouta en tapotant la couverture d'*Étude en rouge* :

– Lis ce texte précieux avec Ludo. L'observation et la déduction vous sauveRont de tout !

Sous le tOit du grenier des Glachon
(qui servait de chambre aux Méganazes),
Coralie et Ludo se plongèrent dans le roman de
Conan Doyle (un Anglais dégourdi). Ils découvrirent
ainsi la fameuse *science de la déduction*. Cet art
difficile et tout à fait fascinant permet de découvrir
ce que les enfants iNattentifs ne verront jamais. Plus
Ludo et Coralie bouquinaient, plus se réveillaient
en eux les superpouvoirs de Sherlock Holmes et de
son fidèle Watson. Les facultés d'observation des
deux enfants s'aiguisaient au fil des pages, leur goût
pour la lOgiQue la plus implacable s'affirmait.

BEUARK !

Mais Léo, lui, rEfusait toujours d'ouvrir le roman conseillé par M. Désir. Ce vrai Méganaze préférait demeurer une victime et se faire plaindre. Gémir, c'était pour lui un plaisir. Il ne voulait surtout pas s'aventurer dans un livre qui, peut-être, le ferait changer de regard sur sa situation. Comme bon nombre de non-lecteurs, Léo tenait aux peTits avantages de ses grands malheurs.

Irrité, il sortit donc du grenier… en envoyant la porte dans la fiGure d'Oscar Glachon qui, de toute évidence, était en train de les espionner. Plutôt que d'en être gêné, le Glachon junior attaqua aussitôt Ludo :

– Alors, sale orphelin ! Toujours à chercher des solutions dans tes bouquins ! Au lieu de regarder la télé comme les honnêtes gens !

Dignement, Ludo ne répondit rien au sinistre Oscar et lui claqua la porte au nEz (très rouge, à cause du premier choc) ; puis il se tourna vers Coralie, referma le roman et s'écria avec exaltation :

– Coralie, veux-tu être mon Watson ? Ma fidèle assistante ?

– Et pourquoi pas l'inverse ? demanda-t-elle avec fierté.

– Parce que moi je joue ma Vie ! Si on échoue, je serai bon pour Saint-Zizou…

Afin qu'elle et lui se départagent, Coralie se pencha vers la fenêtre qui ouvrait sur la rue et proposa à Ludo une sorte de compétition :

– On va essayer de deviner ce que ce garçon roux fait sur le trottoir, là, celui qui se balade en regardant les numéros des maisons. Le meilleur sera Sherlock !

– Tu veux parler de ce champion de basket ? reprit le Gérafon avec malice. De ce capitaine de l'équipe de Saint-Zizou qui est amoureux de Lola ?

– Comment sais-tu tout ça ? s'étonna Coralie. Tu le connais ?

– Non.

À peine Coralie avait-elle eu le temps de poser sa question que le garçon roux sonnait à la porte de M. et Mme Glachon, absents ce jour-là. C'était un cinquième costaud, un lascar d'aspect féroCe qui avait déjà dû redoubler plusieurs fois, un vrai gars de Saint-Zizou. Ludo et Coralie ouvrirent ensemble.

– C'est-y là qu'elle habite ? demanda le malabar.

– Qui donc ? repartit Coralie.

– Une gonzesse bien roulée qui s'appelle Lola quelque chose. J'ai une leTtRe pour elle, ajouta-t-il en rougissant.

– Ses parents logent au numéro 28 de la rue, répondit le Méganaze. Mais... je peux te demander quel sporT tu pratiques ?

– Heu... fit le garçon un peu surpris. Du basket, même que mon équipe, celle de Saint-Zizou, a gagné la coupe régionale ! ajouta-t-il avec fierté.

Sur ces mots, le gars de Saint-Zizou détala.

Effarée par la *puissance d'analyse* du Gérafon, Coralie l'interrogea :

– Comment as-tu fait pour deviner qu'il était capitaine de Saint-Zizou et amoureux de Lola ?

– Malgré la largeur de la rue, répondit Ludo en aFFeCtAnt d'être modeste (il se la jouait), j'ai pu apercevoir l'écusson de l'Union Sportive de Saint-Zizou sur son épaule ; ça sentait le sport d'équipe. Il avait également la démarche souple et une taille haute ; c'était à

n'en pas douter un basketteur. Rappelle-toi son air de commandement ; ça ne pouvait être que le capitaine. Et comme il avait l'air très crâneur, c'était signe qu'il avait remporté la coupe régionale dont le journal parlait justement la semaine dernière. Et puis, il cherchait une adresse en rougissant ; ce qui indiquait qu'il était amoureux. Or dans le quartier, il n'y a que Lola pour attirer autant de garçons ! Pure déduction !

– Alors je veux bien être ton Watson, murmura Coralie bluffée.

Comme elle rougissait, Coralie eut soudain la frousse que Ludo remarque son teint pivoine et qu'il en conclue… qu'elle avait le cœur qui battait pour lui ! Ce garçon dopé par la fréquentation de Conan Doyle pouvait-il lire en elle et deviner ses sentiments cachés ?

– Il me reste encore beaucoup à faire avant que mon sens de la déduction soit au point… poursuivit Ludo en soupirant avec désolation. Pour l'instant, je suis encore viré !

– Grâce à nous deux, la vérité éclatera ! ajouta Coralie en s'empêchant de l'embrasser.

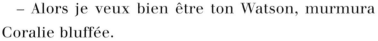

Interdit de séjour à l'école, Ludo-Sherlock envoya sa cHère Coralie-Watson enquêter en douce sur les lieux du vol. Elle serait ainsi ses yeux et lui prêterait toute la perspicacité du véritable Watson (*perspicacité*, ça veut dire sagacité, qualité utile qui ne concerne pas Brutus). C'est ainsi que Coralie rapporta de ses investigations TroiS observations troublantes qu'elle exposa aux Méganazes. Ceux-ci s'étaient réfugiés dans leur grenier.

Tout d'abord, l'inscription sur le tableau – *Saperlipopette, c'est pas nous les voleurs, signé LES MÉGANAZES* – avait forcément été rédigée par un adulte ; vu que personne dans leur classe de nuls ne savait écrire correctement *saperlipopette* ; et vu que plus aucun enfant n'utilise ce juron dÉmodé depuis un demi-siècle.

Et puis, Ludo avait recommandé à Coralie de questionner Mme Juliette, la femme de ménage de l'école, une gentille dont personne ne se méfiait et qui remarquait tout. Or Mme Juliette confia à Coralie que, le jour du vol du sac de Mlle Juste, elle avait surpris une drôLe de dame en train de sortir de sa classe à l'aide d'une échelle, en enjambant la fenêtre. Elle paraissait si calme que Mme Juliette l'avait prise pour une employée chargée du nettoyage des vitres.

Avec l'aide précieuse de M. Désir, Coralie avait jugé digne de Conan Doyle de mouler les eMpreintes de pas trouvées dans les plates-bandes, juste à côté des traces laissées par la grande échelle. Or les chaussures qui avaient laissé ces traces faisaient… du 46 ! Une taille peu courante chez les femmes. Coralie avait mesuré la distance entre chacun des pas ; et M. Désir en avait déduit que la dame qui avait utilisé l'échelle dépassait les 1,88 mètre de haut ! Taille également peu fréquente chez les Françaises…

– Comment s'y est-il pris pour en déduire la taille de la dame ? demanda le Méganaze intrigué.

Et Coralie-Watson de lui répondre avec assurance :

– La tAille d'une personne, neuf fois sur dix, se déduit de la longueur de ses enjambées ! Holmes est formel sur ce point. Et puis tout se tient, car l'écriture sur le tableau noir était à 1,60 mètre du sol. Or quand un individu normal écrit sur un mur, il le fait d'instinct au niveau de ses yeux…

– Qui te l'a dit ? M. Désir ?

– Non, Sherlock Holmes lui-même dans le chapitre IV d'*Étude en rouge*. L'inscription d'un élève de la classe, Oscar par exemple, aurait dû se trouver à 1,20 mètre du sol et non à 1,60 mètre. Les 40 centimètres d'écart confirment qu'il s'agit bien d'un aDulte !

– Taisez-vous ! grogna Léo du fond de son lit. On ne peut même plus être malheureux tranquillement dans cette maison ! Vous êtes toujours à raisonner, à calculer, à chercher des solutions…

Agacé, Léo bondit hors de la chambre et flanqua une fois de plus la porte dans le nez délicat de cette fripouille d'Oscar qui... était en train de les épier par le trou de la serrure. Ludo-Sherlock en déduisit aussitôt qu'Oscar savait quelque chose et qu'il se comportait comme s'il avait eu la trouille qu'ils ne découvrissent justement ce quelque chose... Mais que diable pouvait-il craindre ?

Toutes ces suppositions et informations bizarroïdes jetèrent Ludo et Coralie dans de ténébreuses interrogations. Des pieds taille 46 et une hauteur de girafe... Qui pouvait bien être la mystérieuse cambrioleuse aperçue par Mme Juliette ? Par chance, des éclaircissements surgirent peu à peu.

Plus Ludo reLisait le bouquin de Conan Doyle pour se familiariser avec sa façon de raisonner, plus il se perfectionnait dans *l'art de la déduction*. Comment ? En étudiant les spécimens humains, passablement tricheurs, qu'il avait sous le nez : les Glachon...

Plusieurs étraNgetés retinrent son attention. En premier lieu, notre Méganaze finaud nota que M. Glachon était aussi bronzé que la très jolie Mlle Juste aux yeux très purs ; et cela depuis trois semaines. Curieuse coïncidence... Or il avait remarqué que les seules personnes à être bronzées dans leur petite ville étaient les promeneurs qui, le week-end, allaient se la couler douce au bord du fleuve, en maillot de bain.

D'autre part, Ludo constata que M. Glachon ne portait plus de lunettes pour regarder la tÉLé. Cette taupe s'était décidée à porter des lentilles de vue, de la même correction (-2,5) que celles utilisées par Colombe Glachon, son épouse venimeuse. Ce détail signalait-il chez M. Glachon un désir soudain de plaire ? La modération alimentaire dont il faisait désormais preuve à table confortait cette hypo- thèse... Depuis le changement de maîtresse à l'école, M. Glachon avait cessé de se goïnFrer. Les religieuses au chocolat et les profite- roles – auxquelles les Méganazes n'avaient, hélas! jamais droit –, c'était terminé. M. Glachon avait-il décidé de mincir pour faire le galant ?

Par-dessus le marché, M. Glachon lisait et relisait *Roméo et Juliette*, une hiSTOïre d'amour palpitante écrite par un certain William Shakespeare, alors que bouquiner n'entrait vraiment pas dans ses habitudes. En plus, M. Glachon était désormais absent tous les samedis, au motif suspect qu'il devait *voir des clients*. Depuis quand voit-on ses clients le samedi après-midi ? Tous ces petits chan- gements confirmaient bien que cette caNaiLLe de M. Glachon n'était peut-être plus le mari fidèle, irréprochable et pieux qu'il prétendait être.

Le sAmedi suivant, M. Glachon revint à nouveau le soir, plus bronzé que jamais ; et il déclara en soupirant :

– Ah, aujourd'hui les clients étaient difficiles à convaincre ! Il a fallu que j'use de mon charme naturel qui est immense, Dieu merci. Ce charme irrésistible, je le tiens de ma mère, si pétrie de qualités, si modeste, si bonne... Moi tout craché.

Puis il ajouta à l'adresse des Méganazes, tout en se laissant toMber dans un fauteuil avec lassitude :

– Allez, les orphelins, ôtez-moi mes chaussures et flattez-moi ! Je l'ai bien mérité après cette dure journée... Oui, vraiment dur dur.

Aussitôt, les Méganazes s'employèrent à retirer et à nettoyer ses souliers sur lesquels Ludo trouva... du sable qui ressemblait fort à celui qu'on pouvait ramasser au bord du fleuve. Ce sable fin prouvait à coup sûr que M. Glachon n'avait pas été voir un client... Tandis que Léo commençait à lui dire des choses agréables pour l'amadouer, Ludo récolta discrètement la poudre blonde dans une enveloppe ; mais Oscar l'aperçut.

– Ô vous, monsieur Glachon qui êtes si bon de nous avoir accueillis par extrême bonté, bêla Léo, auriez-vous l'envie de nous punir préventivement ? Au cas, très improbable, où nous ferions une faute qui, même mince, mériterait un juste châtiment de votre part ? Un châtiment méga top qui sortirait de votre cerveau génial.

– Non… murmura M. Glachon. Je n'ai plus goût à rien… même à vous punir. Je vieillis…

– Qu'est-ce que tu as, mon chéri ? demanda Mme Glachon. Tu es malade ?

– Non, ma bichette… répondit tristement M. Glachon. Je vieillis, voilà tout…

– Voulez-vous que je donne un coup de pied à votre place au chien Mazo ? suggéra Léo. Cela vous ferait peut-être du bien. Ou souhaitez-vous que je me colle moi-même une claque ?

– Non, vraiment… je n'ai plus goût à rien, répéta M. Glachon. Ces clients étaient si coriaces aujourd'hui, si décevants…

– Peut-être aimeriez-vous que je vous apporte une bassine d'eau chaude pour vos pieds ? poursuivit Léo, habitué à jouer au lèche-cul.

Ludo remarqua alors que M. Glachon dissimulait adroitement sa main gauChe. S'il avait été plus grand, le Gérafon aurait également observé que M. Glachon avait l'air d'un homme marié brusquement abandonné par sa maîtresse : pensif, soupirant, désorienté. AccaBlé, M. Glachon eut même cette phrase incroyable, qu'il prononça avec une vive tendresse dont Oscar ne l'aurait jamais cru capable :

– Ah ! les Méganazes, heuReuSement que je vous ai... Vous m'êtes bien utiles. Comment vos parents ont-ils pu vous abandonner ? L'abandon, c'est affreux...

Ces paroles sidéranTes plongèrent Oscar et sa mère dans l'étonnement. Non parce que M. Glachon s'était trompé ; en effet, les Méganazes n'avaient pas été abandonnés. Ils étaient devenus orphelins parce qu'ils avaient eu la terrible malchance d'avoir des parents très amoureux, toujours scotchés : du coup, M. et Mme Gérafon étaient morts ensemble dans un accident de voiture. La surprise d'Oscar et de sa mère venait du changement de ton. Quelle mouche avait donc piqué M. Glachon, lui qui n'adressait habituellement que des reproches salés aux Méganazes ? Et soudain... il déclarait ces deux laiderons *bien utiles* !

Pensif et maLiN, Ludo s'interrogea avec la perspicacité de Holmes : l'affaire du vol du sac à main de Mlle Juste présentait-elle un rapport direct avec les mensonges et la mine tristounette de M. Glachon ? Un indice évident rapprochait les deux affairEs ; mais un autre, plus subtil, tracassait également notre Méganaze. D'une part, le bronzage de Mlle Juste était identique à celui de M. Glachon ; comme s'ils avaient été exposés au soleil un même nombre d'heures. D'autre part, M. Glachon persistait à cacher sa main gauche sous son journal… Quel seCRet planquait-il ?

Tout à coup, Léo présenta une bassine d'eau chaude devant les pieds de M. Glachon qui, en soupirant d'aise, les y plongea ; avant de hurler : l'eau était assez brûlante pour y faire cuire une langouste ! Tête en l'air, le Méganaze avait oublié d'y verser de l'eau froide. Furieux, les orteils ébouillantés, M. Glachon flanqua une claque à Léo. Ludo et Colombe Glachon eurent tout juste le temps d'apercevoir sa main gauche gantée de cuir.

– Tu portes un gAnt ? s'étonna aussitôt Mme Glachon.

– Oui, mon poussinet, répliqua M. Glachon en suant à grosses gouttes, je me suis brûlé chez mon client. Le gant est rempli de crème. Dans quelques jours, il n'y paraîtra plus.

Le soir même, l'enveloppe remplie de sable, un exemplaire de *Roméo et Juliette* et celui d'*Étude en rouge* (prêté par M. Désir) disparurent du grenier des Méganazes. Ludo devina tout de suite que c'était un coup d'Oscar. Quel mystère voulait-il l'empêcher de découvrir ? Oscar – qui détestait les livres – n'en avait certainement pas chaPardé deux pour les bouquiner…

5

Oscar Glachon était inquiet et vraiment tRiSte d'être un Glachon. Il aurait tant aimé avoir des parents angéliques, irréprochables et pieux. Pourquoi fallait-il qu'il possédât une famille diabolique, hélas ! critiquable et impie malgré les apparences (*impie*, ça veut dire qui ne croit en rien) ? Lui-même, Oscar, était une vraie saleté morale ; mais il se sentait battu sur ce terrain par son cher papa et sa petite maman, des eXpeRTs en crasses. Comme toujours, Oscar se sentait le devoir de sauver leur jolie réputation ; parce que, malgré tout, il aimait ses parents de tout son cœur de pierre…

Aussi eut-il l'idée d'aller demander conseil à son éLégante grand-mère, Mme Glachon mère, la créature la plus immorale de la famille. Mentir, c'était pour elle un réflexe. Mais… la vieille Mme Glachon mère était une intelligence. Habituée à se sortir de tous les coups fourrés, elle pouvait être de bOn conseil.

Quand Oscar poussa la porte de son aïeule, une succulente odeur flottait dans toute la maison. Tous ses chiens – une mEute de molosses muselés, grands comme des veaux – aboyèrent en chœur.

CHAPITRE 5

– Bonjour, Bonne Maman, lança-t-il. Que cuisinez-vous qui sent si bon ?

– Des chiots. Ceux de la mère de Mazo.

– Mazo... ma chienne ? demanda Oscar en frissonnant.

– Oui, je n'ai pas pu placer tous les petits chez des voisins. La portée, cette fois, était trop nombreuse. Il fallait bien que j'en fasse quelque chose... Je n'aime pas gâcher les aliments. Un pot-au-feu de chiots, c'est excellent.

– Vous mangez vos chiens ? s'indigna Oscar, qui n'était pourtant pas du genre à s'indigner de grand-chose.

– Bien sûr que non, mon bichounet ! répondit Mme Glachon en riAnt de toutes ses dents. Ha ! Ha ! Je plaisantais…

Puis elle cessa brusquement de rigoler et son visage adopta une mine sombre :

– Tu me croyais assez féroce pour liquider de pauvres cHiots ?

– Non…
Je plaisantais…
moi aussi.

– J'aime mieux ça… Ne t'avise pas de me critiquer à nouveau, en finassant. Il t'en cuirait ! Et dis-moi plutôt la raison de ta visite…

– J'ai un problème, soupira Oscar.

– Tss-tss-tss, tout souci peut être l'occasion de nuire en s'amusant ! Ton père ne te l'a pas appris ? Les traditions se perdent… De quoi s'agit-il, mon cher petit ?

Oscar raconta toute l'histoire qui le tracassait et les raisons mystérieuses qui l'avaient poussé à subtiliser l'exemplaire de *Roméo et Juliette*. Puis il confia à sa grand-mère sa tRouille que les Mégana-zes n'en viennent à découvrir toute la vérité.

– On devrait toujours se méfier des orphelins, commenta la vieille. Au fond, je hais les bâtards, pauvres de surcroît. Ceux-là sont de toute évidence de mAuvaise race…

– Oui, Bonne Maman. Mais je leur ai aussi volé l'enveloppe pleine de sable et leur satané bouquin, *Étude en rouge*, une enquête de Sherlock Holmes.

– Tu as bien fait. C'est un acte de prudence élémentaire. Le mal vient toujours des romans. Dans une bonne famille, on ne lit pas.

– Que dois-je faire ? Je suis pErdu.

– Voici ce que tu vas recommander à l'un de tes parents. Écoute-moi bien, petit chacal…

6

Le lendemain, les élèves de Mlle Juste vécurent un premier coup de théâtre : le sac à main de la maîtresse fut retrouvé iNtact à l'école, sur son bureau même. Rien n'y manquait, ni ses clefs, ni son passeport, ni son permis de conduire, ni son porte-monnaie rempli de sous, ni ses nombreuses petites affaires de maquillage. Il faut dire que Mlle Juste était une sacRée coquette.

Et lorsqu'elle feuillEta la pièce de théâtre *Roméo et Juliette*, confisquée à Oscar – qui sembla faire exprès de la lire sous son nez –, la romantique Mᶦˡᵉ Juste poussa un cri : des paragraphes étaient soulignés en rouge, des mots qui parurent la désespérer. Elle ramassa illico ses affaires et, sans donner d'explication, quitta l'école en toute hâte. Les jours suivants, Mᶦˡᵉ Juste ne reparut pas. Qu'avait-elle découvert dans le texte galant de Shakespeare ? Avait-elle été sincèrement émue ou sa disparition soudaine n'était-elle qu'une mise en scène habile ?

On l'imagine, ces événements troublèrent tout le monde. On ne savait plus que penser... sauf Mᵐᵉ Brutus qui, sûre de ses positions, refusa de revenir sur sa dÉcision d'exclure les Méganazes. Irritée, elle déclara même à toute la classe :

– Les **frères** Gérafon ont essayé de m'amadouer en déposant le sac avec son contenu ; mais avec moi, ça ne prend pas ! C'est bien parce que j'ai sévi sans faiblesse qu'ils cherchent maintenant à se racheter. Avec les orphelins, seule la fermeté paie !

Lors de la récré suivante, Coralie poursuivit son enquête et découvrit par hasard, près de l'endroit où l'on avait retrouvé le sac à main de Mlle Juste, une boîte de l**Entilles** de vue ; ce qui prouvait que le voleur, revenu sur les lieux de son forfait, n'était pas un enfant. En effet, seuls les adultes portent des lentilles. Les jeunes miros ont tous des binocles sur le nez !

– Je parie que la **cOrreCtion** de ces lentilles est de -2,5 ! lança Ludo lorsque Coralie lui révéla sa trouvaille.

– C'est eXact... bredouilla-t-elle. Comment le savais-tu ?

– Cette correction est celle de M. et Mme Glachon. Reste à savoir lequel des deux est le coupable...

– Qu'est-ce qui peut bien te laisser imaginer que les Glachon sont dans le coup ?

– Mon esprit de déduction. À chaque fois qu'une injustice s'abat sur moi et mon frère, les Glachon ne sont pas loin ! Et puis, il y a cette histoire de bronzage... Qu'en dit M. Désir ?

Coralie fila interroger le bibliothécaire. La réapparition du sac de Mlle Juste lui laissait à penser que le voleur l'avait dérobé pour y récupérer autre chose que de l'argent.

– Quoi ? demanda Coralie.

– Des leTtRes d'amour compromettantes... avança M. Désir avec perspicacité.

– Comment le savez-vous ?

– Je n'en suis pas encore certain, mais c'est une hYPothèse.

– C'est quoi une *hypothèse* ?

– Une supposition.

– Et qu'est-ce qui vous permet de supposer ça ? insista Coralie.

– La disparition de Mlle Juste, alors qu'elle lisait *Roméo et Juliette*, trahit un tempérament r**oMantiQue**, une pureté soudainement déçue, une blessure inguérissable… Des émotions que ressentent les femmes accoutumées à recevoir des lettres galantes. Et puis, il y a un autre fait indéniable.

– Lequel ?

– Les yeux brillants de tous les garçons de l'école quand ils regardent passer Mlle Juste ! Et les regards impatients des papas à la sortie… As-tu noté qu'ils sont nettement plus nombreux à quatre heures depuis qu'elle a remplacé Mme Garce ? Tout le monde a l'air amoureux d'elle… Dans le lot, il doit bien y avoir un imprudent qui lui aura écrit des billets doux compromettants !

– Si votre *supposition* est juste, pourquoi le sac a-t-il été rendu ?

– Ce geste astucieux, très astucieux même, inspiré par un esprit calculateur, me paraît être celui d'un homme amoureux qui lui restitue ses affaires et son argent. Cet inconnu espérait sans doute se faire bien voir d'elle en agissant de la sorte.

Tandis qu'ils raiSonnaient près de la grille de l'école, Mme Juliette s'approcha et s'écria :

– C'est elle !

– Qui ? reprit Coralie.

– La voleuse… celle qui était sur l'échelle !

– Vous en êtes sûre ?

PÂle, la femme de ménage désigna Mme Glachon de dos en opinant du bonnet. Cette dernière venait de récupérer Oscar à la sortie et disparut à toute vitesse avec son fiston à l'angle de la rue. Coralie resta bouche bée ; c'était à n'y plus rien comprendre. Toutes les déductions de Ludo le menaient iNfaillibleMent sur la piste de M. Glachon ; et voilà que Mme Juliette affirmait sans hésiter que la cambrioleuse était Mme Glachon !

De plus, Mlle Juste restait introuvable depuis la réapparition du sac… Quelle mouche l'avait piquée ? Tout cela était-il un vaste complot monté par Mlle Juste, aux yeux verts pourtant si pUrs ? Le mystère s'épaississait.

Perplexes, Ludo-Sherlock, Coralie-Watson et M. Désir décidèrent d'approfondir leur enquête. Ils se rendirent sans traîner au bord du fleuve et se mirent à rechercher l'endroit précis d'où provenait le sable fin et clair que Ludo avait trouvé sur les cHaussures de M. Glachon. Qu'Oscar ait dérobé l'enveloppe pleine de sable indiquait clairement que cet indice risquait fort de conduire les Méganazes jusqu'à… l'un de ses parents. De toute évidence, Oscar tentait de les protéger.

Lorsqu'ils trouvèrent enfin la petite plage sablonneuse, le trio eut alors le bol de tomber sur… une alliance. À l'intérieur de l'anneau était gravée une date, celle d'un mariage, bien entendu. Très sûr de lui, M. Désir déclara :

– Cette alliance appartient à un homme marié qui l'a enlevée pour bécoter sa maîtresse dans le sable. Et qui l'a égarée.

– Bécoter sa maîtresse d'école ? demanda Coralie très choquée.

– Non, une *maîtresse*, chez les adultes, c'est une femme à qui un monsieur déjà marié fait des biSous en douce.

– Ah!... fit Coralie rassurée. Mais comment savez-vous que l'adulte a retiré son alliance pour faire des bisous en douce à une dame avec qui il n'est même pas mArié ?

CHAPITRE 7

– C'est un grand classique, la maîtresse qui demande à l'homme marié de retirer son alliance avant de se laisser embrasser, rétorqua M. Désir. Ça se passe comme ça dans des tas de romans pour grandes personnes ! Si vous aviez lu davantage, mes chers enfants, vous le sauriez.

– Tout cela nous mène indiscutablement sur la piste de M. Glachon, poursuivit Ludo. En effet, si ce menteur portait avant-hier un gant à la main gauche, c'était bien une rUse de sioux pour dissimuler qu'il avait égaré son alliance !

– Comment peux-tu être sûr que cette alliance est la sienne ? demanda Coralie.

– La date gravée à l'intérieur est celle du mariage de M. et de Mme Glachon.

– *Et de Mme Glachon !* répéta Coralie. Que Mme Juliette est certaine d'avoir identifiée, ne l'oublions pas. C'était bien elle la daMe sur l'échelle.

– C'est idiot, à la fin ! s'énerva le Gérafon. Je ne vois pas Mme Glachon écrire des lettres d'amour à Mlle Juste ! Et venir ensuite la bécoter sur cette plage ! Et Mme Glachon ne fait pas du 46, j'ai vérifié ! Alors que M. Glachon, lui, mesure 1,88 mètre !

– Mais alors… pourquoi Mlle Juste a disparu ? demanda Coralie. Peut-être a-t-elle volé elle-même son sac ?

– Calmez-vous ! reprit M. Désir. Il nous faut réfléchir avec la froide riGuEur de Conan Doyle, remettre de la logique dans tout ceci et… tenter une action décisive.

– Laquelle ? demandèrent ensemble Ludo et Coralie.

– Relisons tout d'abord *Étude en rouge* ! lança le bibliothécaire en sortant un petit volume de sa poche. Ne l'oubliez pas, mes chers enfants, les solutions de la vie se trouvent toujours dans les bons romans…

Sur le consEil de M. Désir – décidément très inspiré par Sherlock Holmes –, Ludo afficha une petite annonce dans la boulangerie située juste en face de l'école. Tout le quartier venait y acheter son pain. Les Glachon également, à tour de rôle. Le texte, asTucieux, était ainsi libellé :

Avis à un voleur de lettres d'amour.

On a retrouvé son alliance là où il sait.

Rendez-vous samedi à 15 heures au même endroit,

s'il veut récupérer l'anneau.

L'annonce était habilement signée des initiales de Mlle Juste (toujours introuvable).

Le piège, digne de Sherlock Holmes, était tendu.

Le samedi suivant, les Méganazes se trouvaient postés au bord du fLeuve un peu avant 15 heures. En l'absence de Coralie (invitée ce jour-là à un mariage), Ludo avait demandé à Léo de l'accompagner au cas où la scène tournerait mal. Bien entendu, Léo avait râlé ; mais il l'avait finalement suivi… en râlant. Se plaindre, c'était sa jOie. Les deux frères étaient donc perchés ensemble dans un arbre feuillu afin de voir sans être vus la personne qui rappliquerait au rendez-vous ; si quelqu'un venait.

À 15h02, les jumeaux aperçurent au loin… Colombe Glachon ! Ils en restèrent tous les deux comme des cornichons. C'était à n'y plus rien comprendre. La taille des pieds de Mme Glachon n'était pourtant pas du 46 mais du 38 ! Mme Juliette n'avait donc pas eu la berlue… Mme Glachon fit alors demi-tour, s'éloigna d'un pas de promeneuse et… un phénomène extraordinaire se produisit : une seconde Mme Glachon apparut dans la direction opposée !

Pour mieux observer cette deuxième Mme Glachon qui approchait sur la pointe des pieds, et aussi parce qu'il n'avait pas beaucoup d'imagination – comme tous les non-lecteurs –, Léo s'avança vers l'extrémité de la branche sur laquelle il était juché ; sans se figurer qu'elle pouvait casser.

– C'est bizarre, murmura Léo à Ludo, elle a l'air très GrAnDe aujourd'hui, la deuxième Mme Glachon... presque un mètre quatre-v...

Avant la fin de sa phrase, la branche se brisa dans un grand CRAC ! Le Méganaze tomba sur la deuxième Mme Glachon, la renversa et... en la culbutant, fit glisser sa perruque par terre. Le visage de M. Glachon apparut alors. Il était déguisé en sa femme !

– Oh ! Ça alors ! s'exclama Léo.

– Qu'est-ce que vous faites ici habillé en Mme Glachon ? demanda Ludo du haut de l'arbre.

– Sales orphelins ! grogna M. Glachon en se relevant. Vous savez donc tout ! Oui, j'ai emprunté les vêtements de ma femme pour rejoindre ma maîtresse, Mlle Juste ! Oui, je préférais être discret dans cette petite ville où tout le monde répète tout. Oui, j'ai perdu mon alliance ici.

Et il ajouta, en sanglotant soudain :

– Oui, votre maîtresse, c'est-à-dire la mienne, m'a largué parce que je refusais de quitter Mme Glachon pour elle... Ouin ! Ouin ! Je suis malheureux... Il fallait à tout prix que je récupère mes lettres d'amour. Mlle Juste était furibarde. Elle menaçait de montrer toutes mes lettres à ma femme. J'ai donc volé son sac... pour sauver ma famille et l'honneur des Glachon ! Heureusement que j'ai le sens de la famille, moi...

Tout s'expliquait : le 46 des traces de chaussures relevées par M. Désir dans les plates-bandes de l'école, les 1,88 mètre du cambrioleur et les déclarations de Mme Juliette. Elle avait bien vu sur l'échelle une femme de dos ! Une fuyarde qui portait les vêtements de Mme Glachon !

Ludo sAuTa de l'arbre, rendit son alliance à M. Glachon et lui demanda :

— Mais comment avez-vous fait pour séduire Mlle Juste, vous qui êtes… un Glachon ?

— En recopiant des passages de *Roméo et Juliette*, pardi ! Les mots de Shakespeare m'ont permis de gagNer son cœur !

– Je cOmPrEnds tout… soupira Ludo. Quand Mlle Juste a feuilleté la pièce en classe, elle a compris que vous l'aviez abusée en pompant Shakespeare… Son cœur très pur s'est brisé ! Vous n'êtes qu'un copieur !

– Je ne voulais pas lui faire de mal…

Ludo déclara alors avec fieRté :

– Maintenant que tout est clair, monsieur Glachon, vous allez rétablir notre réputation parce que nous autres on n'est pas des voleurs. Et nous n'irons pas à Saint-Zizou !

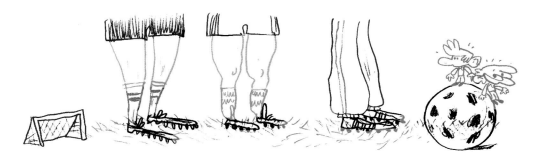

– Sale petit Méganaze ! rugit alors M. Glachon. Pourquoi crois-tu que je vous ai avoué toute la vérité ? Parce que si tu ne la boucles pas, je vous renvoie illico à l'orphelinat ! Un seul mot et oust ! Il faut bien un coupable, et comme ça ne peut pas être moi, ce sera vOuS, avec vos bobines de coupables idéals. Compris ? aboya-t-il.

Terrifiés, les Méganazes reculèrent d'un pas.

M. Glachon replaça dignement sa perruque sur le haut de son crâne et, le menton bien en avant, s'éloigna en allongeant le pas avec toute l'arrogance du gagnant.

– Tu vois, ronchonna Léo en se tournant vers son frère, ça ne sert à rien de bouquiner ton Conan Doyle… Être un lecteur ou non, ça ne change pas la réalité ! Quand on est orphelin et laid, quoi qu'il arrive on reste orphelin, moche et victime de toutes les injustices, comme un vrai Méganaze…

Alors Ludo lui répondit avec superbe :

– Non, parce que Sherlock Holmes, lui, a toujours un coup d'avance !

Ludo avait enregistré en douce les aveux de M. Glachon sur le petit lecteur de CD d'Oscar ; car il se doutait bien que M. Glachon les menacerait, lui et son frère, des pires représailles s'ils osaient dévoiler la vérité. D'ailleurs, qui leur accorderait le moindre crédit ? Écoute-t-on des orphelins, des fils de personne, des moins que rien ? Il fallait donc à Ludo cette preuve irréfutable (ça veut dire *béton*) qu'il fit entendre à Brutus. Révolté, ce dernier fit écouter le CD à sa petite maman, la sévère directrice de l'école.

Le jour même, Mme Brutus convoqua discrètement les Méganazes dans son bureau.

– Mes cHers petits, déclara-t-elle, *rien ne sert de courir, il faut partir à temps.* Je suis bien embêtée. Il me faut tout de même un coupable ! Le ramdam causé par cette affaire est tel que je ne peux plus l'étouffer. Quelqu'un doit payer. Mais je ne vais tout de même pas mettre en cause une personnalité aussi honorable, généreuse et respectée que M. Glachon, vous l'imaginez bien… De plus, il est inconcevable d'égratigner la réputation d'une maîtresse aussi pure, innocente et angélique que Mlle… comment l'appelez-vous, déjà ?

– Mlle Juste, répondit Ludo.

CHAPITRE 9

– Maîtresse au cœur certes léger et aux jupes un peu courtes mais qui garde toute ma confiance, poursuivit Mᵐᵉ Brutus. On ne va pas salir la réputation d'une personne aussi… juste, comme son surnom l'indique. Vous comprenez donc mon embarras ?

– Non… répondit Léo qui n'avait pas lu assez de bouquins pour piGer du premier coup les raisonnements toujours bizarres des grandes personnes.

Alors, saisissant qu'il fallait aider la directrice à se sortir de ce mauvais pas, Ludo avança une solution :

– Et si le coupable idéal, c'était Oscar ?

– Oscar Glachon… répéta Mme Brutus déroutée. Pourquoi lui ?

– Il a, j'en suis certain, deviné toute l'affaire depuis le début, expliqua le Gérafon. Si vous l'accusez, ce bon fils ne dénoncera jamais son père… à condition que vous le grondiez sans le renvoyer. S'il échappe à Saint-Zizou, Oscar encaissera sans broncher.

– Et vous aurez votre coupable ! s'écria Léo en applaudissant, tant il était ravi que cette affaire se retourne contre le fils Glachon qui, saison après saison, martyrisait les Méganazes.

– Cela mérite réflexion, répondit Mme Brutus. Oui, cela mérite d'y réfléchir sérieusement…

Le lundi suivant, la directrice fit irruption dans la cLaSSe, suivie de Mlle Juste et des deux Méganazes. Avec autorité, Mme Brutus demanda le silence le plus absolu et annonça que Ludo et Léo Gérafon étaient définitivement réintégrés car...

– ... le véritable coupable du vol du sac est... Oscar Glachon !

Stupéfait, Oscar écarQuilla les yeux.

– Mmm… moi ? bégaya-t-il.

– J'en ai la prEuve, affirma la directrice. C'est un Glachon qui a fait le coup et ça ne peut être que vous, n'est-ce pas ?

– Heu… oui, répondit Oscar, incapable d'accuser son père.

Ahurie, Mlle Juste – qui savait fort bien la vérité – demanda :

– Peut-on connaître le motif de votre larcin, monsieur Glachon ?

– Tout le monde le sait… pouffa Coralie. C'était pour récupérer ses lettres d'amour anoNymes.

– Il est amoureux ! Il est amoureux ! Il est amoureux ! répéta la classe moqueuse en gloussant.

CHAPITRE 10

– Il avait copié les v**Er**s de Roméo ! ajouta Ludo.

– C'est rien qu'un copieur ! Un copieur ! scandèrent les élèves.

Oscar piqua un fard, parce que c'était un petit peu vrai qu'il était amoureux de Mlle Juste, comme tous les garçons de la classe et de l'école, d'ailleurs ; même si c'était son père qui avait obtenu, un temps, les bisous de leur maîtresse en copiant les c**O**mpl**i**m**e**n**T**s de Shakespeare (qui s'y connaissait pour faire rougir les filles).

– Cependant, reprit Mme Brutus, Oscar ne sera pas renvoyé car on ne punit pas l'a**M**o**u**r ! Allez vous rasseoir, les Gérafon, et que je n'entende plus parler de vous !

Sur ces mots, la directrice sortit dignement. Les Méganazes regagnèrent leurs places sous un tonnerre d'applaudissements. Et Oscar, rouge vif de honte, s'enfonça sur sa chaise. Jamais il n'avait eu autant envie de se cacher...

Au fond de la classe, il y en avait une qui, pour rien au monde, n'aurait voulu qu'on dévoile ses sentiments : c'était Coralie-Watson... Sans elle, Sherlock Holmes n'aurait sans doute jamais prêté ses superpouvoirs à celui qui vint finalement s'asseoir à son côté.

– Ma chère Watson que j'aime, lui murmura Ludo, cette affaire était... élémentaire !

fin

CLAP

CLAP

BRAVO!

INTERVIEW DE SHERLOCK HOLMES
par Alexandre Jardin

Alexandre Jardin : *Avez-vous une bonne ou une mauvaise opinion de votre auteur, Sir Conan Doyle ?*

Sherlock Holmes : Très mauvaise… ce faux frère ne me mérite pas ! Songez que sa vie n'est qu'une longue dégringolade vers l'absurdité ! Conan Doyle a commencé médecin, homme de science sérieux, pour finir dans le spiritisme, la magie de bazar et les tables qui tournent. Dans les derniers temps, ce farfelu se passionnait sans rire

pour les apparitions de fées !
Pendant que moi je m'obligeais
à résoudre avec rigueur les
énigmes policières les plus déli-
cates, Sir Conan Doyle terminait
sa vie en donnant des conférences
sur la voyance et les mystères de
la communication avec les morts !
N'importe quoi ! Dois-je l'avouer,
j'ai honte pour lui… Ce charlatan,
faux médium et vrai coquin, a
même ouvert à Londres une
librairie spécialisée dans le spiritisme (The psychic bookshop) !

A. J. : Laissez-moi vous dire que
si l'un de mes personnages se
permettait un jour de parler aussi
mal de moi, je le punirais sévère-
ment ! Une bonne fessée, oui !
C'est tout ce que vous méritez,
mon cher Holmes. Cet écrivain
vous a tout de même donné la vie…

S. H. : … avant de me donner la
mort ! Songez que cet homme de
lettres, profitant lâchement de sa
position, m'a fait un jour périr
dans une aventure, sans même

me consulter ! Ce crime est évidemment resté impuni puisque les écrivains semblent avoir tous les droits...

A. J. : Mais enfin, vous n'existez pas ! Vous n'êtes qu'un personnage !

S. H. : Peut-être... mais pas un vulgaire personnage ! Je suis plus célèbre que mon auteur. Le saviez-vous ? Il existe une Sherlock Holmes Society de Londres qui rassemble mes fans depuis 1934. En soixante-dix ans, plus de cinq cents sociétés holmésiennes ont été fondées dans le monde entier. Aucune ne porte le nom de Conan Doyle ! Ma notoriété écrase la sienne !

A. J. : Vous ne lui reconnaissez aucune qualité ?

S. H. : Si, une. Ce brave Conan a découvert le ski en Norvège lors de l'été 1892 et c'est lui qui a introduit cette pratique sportive en Suisse l'hiver suivant. La prochaine fois que vous irez skier en Europe, pensez à lui...

Les coulisses de la cour de récré

INTERVIEW DE CORALIE, LA PLUS SECRÈTE DES FILLES...

Alexandre Jardin : Vous m'en voulez d'avoir révélé votre amour pour Ludo ?

Coralie : À mort...

A. J. : Pourquoi ?

C. : Parce que c'est la honte devant mes copines d'aimer un Méganaze ! Si elles tombent sur cette aventure des Méganazes, ma réputation est... foutue !

A. J. : Comment pouvez-vous aimer un laid ?

C. : Un lecteur n'est jamais moche. Les bouquins ont donné à Ludo une beauté que mon cœur voit...

A. J. : ... mais pas vos copines ?

C. : Forcément, ces chipies ne lisent rien. Lola, elle ne lit que ce qui est écrit au dos des boîtes de céréales ! Pour voir la beauté d'un vrai bouquineur, il faut lire soi-même. Les non-lecteurs de romans, c'est comme des aveugles. C'est pour ça qu'il faut être gentille avec ces malheureux, ces faiblards...

A. J. : Avez-vous eu peur que M. Désir, sous l'influence de Sherlock Holmes, lise en vous vos sentiments réels ? Et qu'il le répète à tout le monde ?

C. : À mort !

A. J. : Pourquoi faut-il cacher son amour ?

C. : L'amour, ça se dit pas, ça se devine. Si Ludo n'avait pas fini par deviner mes sentiments, ç'aurait pas été un vrai amoureux.

A. J. : Pourquoi ?

C. : C'est comme ça… dans tous les bons romans. Un amoureux, c'est un devineur.

A. J. : Coralie, comment avez-vous su que vous étiez amoureuse pour de bon de Ludo Gérafon ?

C. : Je ne vois que lui, même quand je ferme les yeux. Ça, c'est un signe. Et pis, quand il souffre je souffre. Ça aussi, c'est un signe.

A. J. : Avez-vous peur de le perdre, que Ludo tombe un jour amoureux de Lola ?

C. : Non.

A. J. : Pourquoi ?

C. : Vu son nez et ses oreilles, j'suis en sécurité !

Extraits d'*Étude en Rouge*

« Comment diable avez-vous pu deviner cela ? demandai-je.

– Deviner quoi ? fit Sherlock Holmes sans aménité.

– Eh bien, qu'il était un sergent de marine en retraite ?

– Je n'ai pas de temps à perdre en bagatelles ! répondit-il avec brusquerie avant d'ajouter dans un sourire : excusez ma rudesse ! Vous avez rompu le fil de mes pensées. Mais c'est peut-être aussi bien. Ainsi donc vous ne voyiez pas que cet homme était un sergent de marine ?

– Non, certainement pas !

« – Décidément, l'explication de ma méthode me coûte plus que son application ! Si l'on vous demandait de prouver que deux et deux font quatre, vous seriez peut-être embarrassé ; et cependant, vous êtes sûr qu'il en est ainsi. Malgré la largeur de la rue, j'avais pu voir une grosse ancre bleue tatouée sur le dos de la main du gaillard. Cela sentait la mer. Il avait la démarche militaire et les favoris réglementaires ; c'était, à n'en pas douter, un marin. Il avait un certain air de commandement et d'importance. Rappelez-vous son port de tête et le balancement de sa canne ! En outre, son visage annonçait un homme d'âge moyen, sérieux, respectable. Tous ces détails m'ont amené à penser qu'il était sergent.

– C'est merveilleux ! » m'écriai-je. (...)

(...) Je m'étais imaginé que Sherlock Holmes s'engouffrerait dans la maison pour se plonger aussitôt en plein mystère.

Au contraire, il prit un air insouciant qui, en la circonstance, frisait l'affectation ; nonchalamment, il arpenta le trottoir, effleurant du regard le 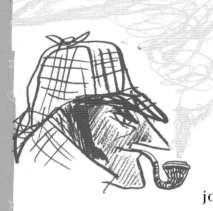 sol, le ciel, les maisons d'en face, la balustrade. Puis il descendit l'allée ou plutôt la bordure d'herbe qui longeait l'allée, les yeux rivés au gazon. Il s'arrêta à deux reprises. Une fois, je l'entendis pousser un cri de joie. Le sol humide et argileux avait conservé les empreintes de plusieurs pas. Mais, comme les policiers, dans leurs allées et venues, l'avaient foulé tant et plus, je ne pouvais m'expliquer que mon compagnon pût encore en espérer quelque révélation. Toutefois, je savais que là où, moi, je n'apercevais rien, lui distinguait une foule de choses : il m'avait déjà donné une preuve extraordinaire de l'acuité de son regard. (...)

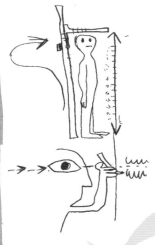

– La taille d'un homme, neuf fois sur dix, se déduit de la longueur de ses enjambées. C'est un calcul assez facile, mais je ne veux pas vous ennuyer avec des chiffres. Les pas du meurtrier se voyaient dehors dans la boue, et, à l'intérieur, sur la poussière. Et j'ai eu un moyen de vérifier mon calcul. Quand un homme écrit sur un mur, il le fait d'instinct au niveau de ses yeux. Or, l'inscription était à un peu plus d'un mètre quatre-vingts du sol. Peuh ! un jeu d'enfant !

– Et son âge ? demandai-je.

– Eh bien, un homme ne peut pas être tout à fait vieux s'il enjambe facilement un mètre trente. C'était la largeur d'une flaque d'eau dans le jardin. Les chaussures vernies l'avaient contournée et les talons carrés l'avaient sautée. Il n'y a rien de mystérieux là-dedans. J'applique tout simplement aux choses de la vie quelques-unes des règles d'observation et de déduction que j'ai préconisées dans mon article. Quelque chose vous intrigue encore ?

Extraits d'*Étude en rouge* de Conan Doyle, © Édition Robert Laffont, 1956, pour la traduction.

LES MÉGANAZES

Retrouve les aventures
des Méganazes
aux éditions Hachette Jeunesse !

ISBN : 201224724.5
Dépôt légal : 62366 - Septembre 2005 - Édition 01
Loi n°49-956 du 16 juillet sur les publications
destinées à la jeunesse.
Imprimé en Italie chez Rotolito Lombarda.